ADVANCED LEVEL • SCHWIERIGKEITSGRAD: SCHWER

Sergei Aleksandrovich Koussevitzky

Selected Works

Ausgewählte Stücke

for Double Bass and Piano · für Kontrabass und Klavier

op. 1, 2, 4

F 95086

ROB. FORBERG MUSIKVERLAG

Cover image · Umschlagbild: L. Bakst, *Terror antiquus* (1908)

F 95086
ISMN 979-0-2061-0620-0

INDEX · INHALT

Two Pieces · Zwei Stücke

Andante

Sergei A. Koussevitzky

op. 1/1

F 95086

dim.
pp
ppp
Più mosso
p
cresc.
p
mf
mf

p
mf
rit.
a tempo
pp
poco cresc.
accelerando
p
f
Cadenza
rit.
p
Tempo I
p

mp
cresc.
p
cresc.
dim.
pp
ppp
mp

À Mademoiselle Nathalie Ouchkoff

Valse miniature

op. 1/2

f
mf
mf
ff
f
f
mf
mf
p
rit.
tempo
cresc.
pp

f
mp
p
p
p
mp
mf
mp
3
p

p
p
p
mp
pp
pp
f
pp
mf
mp cresc.
f
mf
rit.
tempo
mf
rit.
tempo
pp
cresc.

f
pp
pp
pp
mf
f
ff
ff

Chanson triste

op. 2

Più mosso
Più mosso
mf
m.s.
f
ff
f
mf
p
senza
accel.
f
accel.

Cadenza
tranquillo
ten.
Tempo I
p
Tempo I
pp tranquillo
p
f
p
pp

À Madame Nathalie Koussevitzky

Humoresque

op. 4

pp
cresc.
pp
f
mf
p
cresc.
pp
cresc.
ff
1.
2.

mf
p
cresc.
f
mp
p

f
mf
f
mf
p
ppp
8
pizz.